Pg 11 DD
EE
Pg 11-12
Pg 22 Exercic Escritos
Pg 22 Exercícios orais e Escritos

Caderno de Exercícios

6ª EDIÇÃO

Dados Internacionais de Catalogação na Publicação (CIP)
(Câmara Brasileira do Livro, SP, Brasil)

Patrocínio, Elizabeth Fontão do.
Fala Brasil : português para estrangeiros : caderno de exercícios / Elizabeth Fontão do Patrocínio, Pierre Coudry. — Campinas, SP : Pontes, 6ª edição, 2002.

ISBN 85-7113-083-3

1. Português - Estudo e ensino - Estudantes estrangeiros 2. Português - exercícios etc. I. Coudry, Pierre II. Título.

93-2364 CDD-469.824

Índice para catálogo sistemático

1. Português : Livros-texto para estrangeiros 469.824
2.Português para estrangeiros 469.824

ELIZABETH FONTÃO DO PATROCÍNIO
PIERRE COUDRY

Caderno de Exercícios

6ª EDIÇÃO

Pontes

2002

6ª edição – 2002

Coordenação Editorial: Ernesto Guimarães
Capa: João Baptista da Costa Aguiar
Projeto Gráfico: Ernesto Guimarães
Ilustrações: Osires
Preparação dos Originais: Ernesto Guimarães
Revisão: Equipe de revisores da Pontes Editores

PONTES EDITORES
Rua Maria Monteiro, 1635
13025-152 Campinas SP Brasil
Fone (019) 3252.6011
Fax (019) 3253.0769
E-mail: ponteseditor@lexxa.com.br

www.ponteseditores.com.br

2002
Impresso no Brasil

ÍNDICE

APRESENTAÇÃO

A utilização do método *Fala Brasil* em sala de aula nos levou à elaboração deste Caderno de Exercícios. Permanece nele a preocupação com o uso real da língua e com a organização do conteúdo gramatical. Os exercícios buscam a fixação de estruturas e estimulam a criatividade através de atividades variadas. O caderno divide-se em quatro blocos relativos às unidades do livro-texto:

1º bloco: unidades I, II e III
2º bloco: unidades IV a VII
3º bloco: unidades VIII, IX e X
4º bloco: unidades XI a XV

Cada bloco corresponde a uma etapa de aprendizagem. O primeiro refere-se a situações sociais básicas; assim, o Caderno de Exercícios trabalha atividades utilizando os pronomes de tratamento (para cumprimentar, apresentar), o verbo ser (identificação), operadores de pedido (eu queria, você podia?).

O segundo bloco refere-se a situações práticas (uso de telefone, compras, viagens, restaurante, banco etc) que são apresentadas através de estruturas verbais básicas: passado (viajei), presente (viajo), futuro (vou viajar) e presente contínuo (estou viajando).

O terceiro bloco abre o leque de situações: trabalho, posto de gasolina, relatos de família, de viagem. Para isto ampliam-se estruturas verbais (imperfeito, mais-que-perfeito composto etc) que são retomadas no Caderno de Exercícios em propostas de atividades que capacitam o aluno a enfrentar novas situações, conscientizando-o de suas potencialidades.

O quarto e último bloco, com atividades que colocam ao aluno a formulação de hipóteses, sugestões, capacita-o para posicionar-se argumentativamente diante de várias situações. Este bloco corresponde às últimas cinco unidades do livro-texto, que apresenta vários originais de autores brasileiros, diferentemente das demais unidades que contêm, em sua maioria, textos elaborados com fins pedagógicos. Desta maneira, o aluno mergulha na língua e entra em contato com as nuanças que o Modo Subjuntivo proporciona. O Caderno de Exercícios amplia atividades de uso do subjuntivo e conserva a proposta de apresentar ao aluno textos não adaptados - no caso, um noticiário de TV.

Ao final de cada bloco há uma atividade de compreensão oral (Vamos ouvir?) cujos textos estão gravados em uma fita cassete. É importante frisar que as gravações que acompanham o Livro-Texto visam a produção oral dos alunos sendo, portanto, facilitadas. Já as que acompanham este Caderno de Exercícios centralizam-se na compreensão oral da língua, da maneira como o aluno vai ouvi-la na rua. E como a tônica é a oralidade, *deve-se, a princípio, ouvir a fita sem o apoio do texto escrito.* As atividades propostas a partir dos textos de compreensão são explicadas ao final de cada bloco de unidades.

UNIDADES I, II e III

Diálogos Dirigidos

Complete com *você, o senhor, a senhora:*

1) — Dona Sílvia, você é casada?
   — Não, eu sou solteira.

2) — Moça, com licença. _____ é professora de português?
   — Sou.

3) — Boa noite, seu João, tudo bem?
   — Tudo bem e _________, Ana?
   — Tudo bem.

4) — Antônio, qual é o seu sobrenome?
   — Galler.
   — ___________ é brasileiro?
   — Não, eu sou suíço.

5) — Seu Pedro, qual é o seu sobrenome?
   — Cardoso.
   — ___________ é brasileiro?
   — Sou.

6) — Dona Clara, ______ é professora de inglês ou de alemão?
   — Eu sou professora de alemão.

7) — Júlia, _____ foi à feira hoje de manhã?
   — Fui, sim, dona Laura. Eu comprei tudo o que ___________ mandou.

8) — Seu Mário, ______ foi ao médico ontem?
   — Fui.

9) — _____ foi à reunião, doutor Paulo?
   — Não. Eu fui ao banco.

10) — _____ mandou as cartas, dona Cristina?
    — Mandei, sim senhor.

11) — Seu André, ____ já assinou os contratos?
    — Já.

Exercícios Escritos

Faça os diálogos das seguintes apresentações:

Modelo:
César apresenta sua namorada (Sandra) para sua mãe.

César: — Mãe, essa é Sandra, minha namorada.
Mãe: — Muito prazer, Sandra.
Sandra: — Igualmente/ O prazer é meu, dona Lurdes.

1) Carlos apresenta seu chefe ao Sr. Ricardo.
2) Dora apresenta sua secretária a seu primo Plínio.
3) Dr. Geraldo apresenta a diretora de vendas ao gerente da firma.
4) Seu Bernardo apresenta a faxineira Zélia ao novo zelador do prédio, seu Chico.

Ligue as colunas passando pelo verbo *ser*:

Nossa casa		advogado
Minha mãe	SOU	eficientes
Nós		caras
O carro	É	amigos
Os secretários		brava
As diretoras	SOMOS	de Pernambuco
Eu		importado
Cecília e eu	SÃO	nova
Os brasileiros		informais
Essas flores		competentes

Forme frases com o verbo *ser* a partir do vocabulário abaixo:

estrangeiro gostoso bonitas forte interessante médicas gerente estudante casadas secretárias

Complete os espaços para dar sentido aos diálogos:

— Oi, ______ bem?
— Tudo bem. José, você blá blá blá, blá blá blá blá, ...
— Claro!
— Que bom! Então tchau, heim?
— ______, até mais.

— Bom dia, seu Antônio. ______ vai?
— Bem, ______ . E a senhora?

— Bem, ______ . Seu Antônio, ______ não blá blá blá, blá blá blá, blá blá blá?
— Não, senhora! Eu não blá blá blá...
— Ótimo! ______ logo, ______ Antônio.

— Marcelo, esse livro é ______?
— É. É meu, sim.

— Dra. Ana, ______ é casada?
— Não. Eu ______ solteira.

— Dr. Otávio, ______ é promotor?
— Não. Eu ______ advogado.

— Júlio, esse relógio é do Mário?
— Não é ______ , não. É meu.

— Zé Carlos, ______ é irmão da Teresa?
— Não. Eu sou marido ______.

— Por favor, esse carro é de vocês?
— Não. O ______ é um Mercedes.

Caça palavras:

VOCÊ - ELA - ELES - O SENHOR - NÓS - VOCÊS - A SENHORA - EU

A L L N S T O A S A H A R O H N E S A
V O C E R E S V A C I L O B M J A X M
E A S E N H E O Q U A R R X D A D S E
G M A V E L N O E U J I A V O E L E L
B O P R J C H A N O R U D A L M U C O
X I Z F A S O V Z E L E S T E N T O D
A L E E M A R H A H N O S X T A N V A
P A L R N N A S U Q U H N O A R D E Z

Monte pequenos diálogos usando a expressão *eu queria*:

Sugestões de vocabulário:

um suco de laranja
usar o banheiro
falar com você
um chocolate
pagar essa conta
dois selos
convidar vocês para jantar
mandar um telegrama
uma dúzia de rosas

uma caixa de fósforos
o seu endereço
o seu telefone
trocar dólar
chamar um táxi
alugar um apartamento
três pãezinhos
um litro de leite B
lavar as mãos
a Folha de São Paulo

Diálogos Dirigidos

Complete com os verbos no passado:

1) — Eles ______ (ganhar) o jogo?
— ______ (ganhar).
— Pô! De novo?! Que sorte, hem?

2) — Que nota você ______ (tirar) em matemática?
— Eu ______ (tirar) 7. E você?
— 2...
— Ih! ______ (dançar)...

3) — Eu ______ (largar) o meu livro no seu armário?
— ______ (largar).

4) — Você ______ (trancar) a porta?
— ______ (trancar).
— Cadê a chave?

5) — Você ______ (passar) de ano?
— ______ (passar).

6) — Vocês ______ (examinar) o contrato?
— ______ (examinar).

7) — Ela ______ (achar) uma casa para alugar?
— Não, mas ______ (achar) um apartamento ótimo.

8) — Dona Isabel, a reunião já ______ (terminar)?
— Ainda não.

9) — Eles ______ (almoçar) com vocês?
— Não. Eles ______ (almoçar) sozinhos.

10) — Plínio, você ______ (falar) com o zelador?
— ______ (falar) hoje de manhã.

ATIVIDADES

Roteiro para narração (usar *então, aí, depois*):

1) chegar na escola/falar com o Paulo/ir para a biblioteca.

2) passar na casa da Ivete/ir ao cinema/tomar um sorvete/pegar um táxi/voltar para casa.

3) ir ao clube/nadar/jogar basquete e futebol de salão.
4) ir à casa do Fernando/nós estudar/tomar lanche/jogar vídeo game.
5) voltar para o escritório/terminar o relatório/ir para casa.
6) trocar de roupa/jantar/conversar com a família.
7) visitar um amigo/ir para um bar/tomar uma cerveja.
8) entrar na sala da diretora/apresentar os planos/mostrar e explicar os gráficos
9) comprar as entradas/entrar no estádio/procurar um bom lugar/ sentar e esperar o jogo começar.
10) acordar/lavar o carro/levar os filhos ao zoológico.

Exercícios Escritos

Faça pedidos (... *podia*?):

1) explicar de novo (a senhora) ______________________

2) me dar uma carona (o senhor) ______________________

3) trocar de lugar comigo (você) ______________________

4) devolver esse livro na biblioteca (você) ______________________

5) me ajudar com esse exercício (a senhora) ______________________

6) mandar o gerente entrar (a senhora) ______________________

7) mostrar os planos de pagamento (você) ______________________

8) marcar uma consulta (Sílvia) ______________________

9) repetir mais devagar (o senhor) ______________________

Complete com *ser* ou *estar*:

— Por favor, moço, onde __________ o banheiro?
— __________ ali, mas __________ fechado.

— Atenção, pessoal! O almoço _______ pronto!
— Oba! eu __________ com uma fome!

— O Sr. Ribeiro _______ o gerente desta firma, mas eu __________ no lugar dele, porque ele __________ doente.

— Ela ________ fanática por esportes, por isso __________ na Europa pra ver as Olimpíadas.

— Nós ______ estrangeiros porque não ______ no nosso país.

— Helena, quem __________ aí com você?
— A Sônia.
— Quem __________ a Sônia?
— Ela __________ minha amiga do colégio.

ATIVIDADES

Procurar *no/na/do/da* nas frases abaixo. Observar o uso:

1) Ele vai fazer uma casa de madeira na praia.
2) O equipamento do Japão está em Manaus.
3) O carro da Mônica está na garagem.
4) O hotel de cinco estrelas é na Avenida XV de novembro.
5) O barco de pesca está no mar.

Distribuir objetos e fazer perguntas; combinar com os pronomes possessivos.

Ex: De quem é (esse lápis)?
Esse aqui é dele/Aquele ali é meu.

Diálogo com a classe: combinar as cores das roupas dos alunos com possessivos e demonstrativos.

Ex.: De que cor é ______? A calça dele é azul./ Meu casaco é cinza.

Cada aluno conta o que fez no fim de semana.

Exercícios Escritos

Complete com *aqui, aí, ali, lá, esse(s), essa(s), aquele(s), aquela(s):*

1) Esse convite ________ é seu.

2) Aquela camiseta ____ é dela.

3) ______ chave ______ com você é minha.

4) Nós compramos ______ carro o ano passado.

5) Onde está ________ camisa azul marinho?

6) ________ ônibus lá está quebrado.

7) ______ menina ___ com ela é minha vizinha.

8) No ano passado o César morou três meses ________ em casa.

9) Não. A Ana não está _______ na minha sala. Ela foi ao cartório.

10) — Os documentos estão _______ com você?
— Não, não estão. Eu deixei os documentos __________ no Banco do Brasil.

Vamos ouvir?

1) OUÇA cada um dos diálogos várias vezes, cobrindo o texto.

Numa festa:
— Com licença, esse copo aí é seu?
— Não, esse aí não é meu não. O meu é aquele ali.
— Ah, então esse aí é meu. Obrigada.

No escritório:
— Você queria falar comigo?
— É, queria. Você podia me emprestar seu carro?
— Claro! Olha aqui a chave.

Procurando o disquete:
— Paula, o disquete novo está com você?
— Não, não está comigo não. Está com a Vânia.
— Ah, está bem. Obrigado.

Você notou como a linguagem oral é diferente da escrita?
Anote no espaço abaixo as palavras em que você notou essas diferenças.

Linguagem escrita:		Linguagem oral:
________________	=	________________
________________	=	________________
________________	=	________________
________________	=	________________
________________	=	________________
________________	=	________________
________________	=	________________
________________	=	________________

Interessante, não é? Portanto, na maioria das vezes você vai ouvir "cê" no lugar de "você"; "tá" no lugar de "está", "falá" no lugar de "falar"; "essi" no lugar de "esse"; "novu" no lugar de "novo"; "num tá" no lugar de "não está", "bein" no lugar de "bem", etc.

2) Agora você vai ouvir duas pequenas narrações. O mais importante aqui é ter uma compreensão global do texto. Não se preocupe em entender todas as palavras. Depois de ouvir duas vezes responda as perguntas abaixo. Não se esqueça de cobrir os textos.

a) Eu acordei cedo, tomei café, li o jornal e aí sentei no computador para trabalhar. Eu trabalhei umas três horas. Então, o meu namorado chegou e nós fomos para um churrasco na casa de uns amigos. Nós saímos mais ou menos quatro horas e aí fomos direto pro cinema. Daí, nós fomos jantar num restaurante chinês... E você? O que que você fez de bom ontem?

1) O que ela fez antes de sentar no computador?

____

2) Quanto tempo ela trabalhou?

____

3) Quem chegou na casa dela?

____

4) Onde eles foram almoçar?

____

5) O que eles fizeram depois do cinema?

____

b) A reunião começou às nove horas e terminou só a uma. O diretor de marketing fez uma apresentação dos novos produtos e todos colaboraram com idéias para a campanha na televisão. Nós decidimos fazer dois comerciais. Então, nós analisamos as propostas das agências de publicidade e escolhemos uma agência do Rio. Quando a reunião acabou, a gente foi almoçar numa cantina.

1) Onde você acha que aconteceu essa reunião?

( ) numa escola ( ) numa empresa
( ) num clube de golfe ( ) numa festa

2) Quem fez a apresentação dos novos produtos?

____

3) Quantos comerciais eles decidiram fazer?

____

4) Eles escolheram uma agência. De que cidade?

____

5) O que eles fizeram depois que acabou a reunião?

____

UNIDADES
IV a VII

Exercícios Escritos

Simulando situações no telefone:

1) Alguém telefona para seu filho. Você informa que ele não está e pede para deixar recado. Anote.

2) Você não foi à reunião e quer saber sobre as decisões tomadas. Ligue para um colega de trabalho para se informar.

3) Telefone para uma amiga e pergunte que roupa ela vai usar na festa do próximo sábado.

4) A mãe de um amigo de sua filha telefona preocupada porque o filho dela ainda não tinha chegado em casa. Converse com ela explicando o motivo do atraso.

5) Você telefona para uma amiga e a convida para ir ao cinema.

6) Você telefona a um cliente e pergunta se ele recebeu o fax que você mandou ante-ontem.

7) Você telefona para o restaurante e faz reserva para 7 pessoas, às 8:00h.

8) Você liga para a imobiliária e pergunta se o dr. Barbosa já chegou.

Complete com o passado dos verbos irregulares:

— Como você ________ (vir)?
— Eu ________ (vir) de trem.
— Você ________ (vir) sozinha?
— Não. Os meus irmãos ________ (vir) comigo.

— Você ________ (pôr) a carta no correio?
— ________ (pôr) ontem à tarde.
— Você ________ (trazer) um recibo?
— ________. Está dentro da gaveta.

— Vocês ________ (dar) aula ontem?
— ________ (dar).
— E quantos alunos ________ (vir)?
— Só dois.

— Eles que ________ (trazer) você?
— Não. Eu ________ (vir) com a Luciana.

— Quem ________ (dar) isso pra você?
— O Guilherme, no Natal.
— Ah... e você ________ (dar) alguma coisa pra ele?
— ________ (dar) uma carteira de couro. Legal, né?

Caça palavras:

Cores:

AMARELO	LARANJA
AZUL	MARROM
CINZA	PRETO
BRANCO	VERDE
COR DE ROSA	VERMELHO

A	V	E	N	B	R	A	M	O	R	R	A	M	B	A
M	A	R	O	R	E	L	P	H	X	A	Z	T	L	J
A	Z	U	L	A	F	O	G	L	I	V	E	E	Q	N
R	O	C	I	N	Z	A	C	E	V	B	N	R	U	A
E	S	S	A	C	G	I	S	M	X	I	O	P	A	R
L	T	A	C	O	R	D	E	R	O	S	A	E	V	A
O	X	E	Z	U	I	T	V	E	J	M	E	R	A	L
I	C	E	D	R	E	V	A	V	O	T	E	R	P	O

Complete com o pronome adequado (*me, nos, se* etc):

Ele ______ levantou e ______ aproximou de nossa mesa. Eu ______ assustei e derrubei meu guardanapo no chão. Ele ______ abaixou e pegou o guardanapo. Nós ______ olhamos e ______ cumprimentamos friamente.

Meus novos vizinhos são muito simpáticos. Eles __________ mudaram pra cá em outubro. Nós ________ encontramos pela primeira vez na rua. Depois disso nossas famílias ________ reuniram muitas vezes.

Eu ________ casei com ele em janeiro. Nós ______ conhecemos na praia. Eu ______ apaixonei por ele e ele ________ apaixonou por mim. Então ele ________ formou no fim daquele ano e aí nós ________ casamos.

Retome os roteiros de narração no passado do 1º bloco, p. 12 e faça adaptações utilizando o presente dos verbos:

Ex: Todos os dias eu chego na escola, falo com o Paulo e vou para a biblioteca.

Atividade em grupo:

Jogo entre equipes:

Cada equipe recebe um jogo completo de cartões contendo:

artigos	verbo ser
adjetivos	verbo estar
pronomes possessivos	

O professor fica com os cartões contendo os nomes/pronomes e apresenta um deles. (*Ex:* frutas/ relógio/ nós) para as equipes formarem frases. A equipe que montar uma sentença adequada primeiro ganha pontos.

Exercícios Escritos

Faça a narração seguindo o roteiro. Use *eu, ele, nós, Maria, Cláudio* e *eu, elas* etc.:

1) chegar no escritório/ler os recados/chamar a secretária/verificar a agenda.

2) almoçar/descansar um pouco/escrever um relatório.

3) entrar na sala/conhecer os alunos novos/mostrar o livro.

4) trocar de roupa/sair/comer uma pizza/voltar pra casa.

5) chegar ao aeroporto/passar na alfândega/pegar o avião às oito horas.

6) ir ao médico/esperar meia hora/fazer os exames/marcar retorno.

7) pegar o ônibus/ir ao parque/tomar sorvete/andar um pouco a pé.

8) ir ao banco/trocar duzentos dólares/depositar na conta.

9) perguntar o nome dele/conversar um pouco/convidar para tomar um café.

10) passar na banca/olhar as revistas/comprar uma *Veja*.

Complete os espaços em branco:

1) Pedindo informações:

— Boa tarde.
— Boa tarde. Eu gostaria _____ saber o horário de domingo.
— _____ temos duas sessões, uma às 18 h. e outra _____ 20.
— Eu prefiro a sessão das seis.
— _____ entradas?
— Treze.
— Ih... Na sessão das seis só temos oito lugares. Não pode ser _____ sessão das oito?
— Tudo bem, não tem problema.
— _____ você prefere? No meio ou mais na frente?
— Posso ver o mapa _____ lugares?
— Hum... Aqui tá bom. São sete na fileira D e seis na E. Em quanto fica?
— Treze entradas..hum... R$ 390,00. Você vai comprar agora ou quer só fazer a reserva?
— Até _______ você segura a reserva?
— _______ sábado à tarde.
— Tá ótimo. Eu venho sexta ou sábado _______ manhã.
— Seu nome, ______ favor?

SUGESTÃO:
Criar diálogos em situações similares à anterior (compra de ingressos, reservas)

2) Comprando os ingressos do teatro.

— Boa tarde. Eu ______ (fazer) uma reserva de treze lugares para domingo, no horário das oito.
— Em nome de quem?
— Rodrigo Fonseca.
— Ahã.... _____ (ser) R$ 390,00.
— Olha aqui.

3) Domingo à noite, em frente ao teatro:

R. — Tá quase na hora. Todo mundo já ______ (chegar)?
T. — Não. Falta o Júnior.
R. — Esse Júnior... sempre atrasado!
M. — Olha ele lá! Vamos dar uma vaia nele!
Todos — Uh...uh...uh...
J. — Desculpa, gente. __________ (pegar) um engarrafamento na Rebouças e...
P. — Tá bom, tá bom... Vamos entrar rápido. Parece que já deram o segundo sinal.

SUGESTÃO:

Imagine a turma do Rodrigo entrando no teatro já escuro.
Monte um diálogo antes de ler a situação abaixo.

4) No teatro:

P. — Não disse? Olha que escuridão! Tá vendo, Júnior?
J. — Não. Não tô vendo nada.
P. — Engraçadinho.
C. — Opa, desculpa, moço. Por favor, que fileira é essa?
— Aqui é a G.
B. — Oh, Meu Deus! Não tem lanterninha nesse teatro?
F. — É aqui, gente! Seis nessa fileira e sete na da frente.
T. — Ufa! Até que enfim!...

Depois do teatro

P. — E aí, Sofia? Gostou?
S. — Nossa! Achei demais!...
R. — Turma, vamos comer uma pizza?
Todos. — Boa!
J. — Ah, não, gente... Vamos ao MacDonald's
N. — Oh, Júnior! De novo? Tem dó!

Atividades em Grupo

1) Pesquisa de campo: pesquisar 5 tipos de pizzas e explicar os ingredientes de cada uma.

2) Trabalho em grupo: montar um diálogo com os personagens da turma do Rodrigo na pizzaria.

Usar o cardápio abaixo:

PIZZAS

QUATRI FORMAGGIO
Mussarela, Provolone, Catupiry, Gorgonzola

LOMBINHO
Mussarela, Lombinho, Cebola, Azeitona

ATUM
Atum, Cebola, Azeitona

MARGHERITA
Mussarela, Basilicão, Tomate

NAPOLITANA
Mussarela, Alho, Parmesão, Tomate, Basilicão

SICILIANA
Mussarela, Champignon, Azeitona, Bacon

CALABRESA
Lingüiça Calabresa, Cebola

MILHO VERDE
Mussarela, Milho Verde

PORTUGUESA
Mussarela, Presunto, Ovos, Cebola

ALICHE
Aliche importado, Molho de Tomate, Orégano

MUSSARELA
Mussarela, Molho de Tomate, Orégano

Exercícios orais e escritos

Futuro com o verbo *ir*:

1) Amanhã eu (ter) uma reunião muito importante onde nós (discutir) os novos projetos. O gerente (apresentar) os planos e todos (apresentar) sugestões.

2) O show (começar) às 8:00h., por isso nós (jantar) mais cedo. Provavelmente nós só (voltar) pra casa às 11:00h.

3) Eu (ir) ao aeroporto buscar o Mauro, que (chegar) do Japão. Ele (trazer) a secretária eletrônica que eu encomendei. Nem acredito!

4) Sábado que vem eu (dar) uma festa aqui em casa. Eu (fazer) um *foundue* de queijo e cada um (trazer) uma garrafa de vinho. (Ser) ótimo!

Complete utilizando expressões formadas com *ter ou estar com / estar morrendo de...* (vontade, medo, dor de dentes etc)

1) De manhã eu nunca ________ tempo, por isso tomo só um cafezinho.

2) Nós vamos ao clube porque ____________ de nadar.

3) Ela tomou uma aspirina porque ___________

____

4) Eu nunca assisto filmes de terror porque

____

5) Ela vai comprar uma garrafa de água mineral porque ________________________________

____

6) Amanhã vou ao dentista porque ___________

____

7) Meu marido não vai comigo às reuniões porque ___________________________________

____

8) — Por que você não quer me ajudar?

— ___________________________________

9) — Por que você não vai ao cinema conosco?

— ___________________________________

10) — Por que você ligou o ar condicionado?

— ___________________________________

11) — Por que eles não esperam mais um pouco?

— ___________________________________

12) — Por que vocês já vão dormir?

— ___________________________________

Complete com o pronome interrogativo correto:

1) ________ é o presidente do Brasil?

2) ________ vocês chegaram a Manaus?

3) ________ a Estela comprou esse colar?

4) ________ ele falou com você?

5) ________ dólares a Cássia trocou?

6) ________ vai o senhor?

7) ________ você colocou as minhas chaves?

8) ________ pessoas participaram da reunião?

9) ________ ele telefonou para mim?

10) ________ mandou esse postal pra gente?

11) — O Rui telefonou para você.
— __________ ele ligou para mim?
— Hoje de manhã.
— __________ ele falou?
— Ele disse para você ligar para ele.

— __________ você entrou em casa?
— O Otávio deixou uma chave para mim.
— __________ ele deixou a chave?
— Embaixo do capacho.

— Dona Marta, __________ a senhora não descontou o cheque?
— Porque o banco estava fechado.
— É mesmo? __________ aconteceu?
— Eles estão em greve.

ATIVIDADES

1) Masculino/feminino: coletar 15 palavras femininas sendo 5 não terminadas em A e 15 masculinas, sendo cinco não terminadas em O.
2) Formar frases com o vocabulário coletado acima.
3) Distribuir fotos de pessoas pelos grupos e cada um descreve da maneira mais completa o que eles estão usando.
4) Descrever as peculiaridades na maneira de vestir dos brasileiros em diferentes situações (praias, festas, igreja, lojas etc.)
5) Trabalho com programação de TV no jornal:
   a) complete os diálogos a seguir consultando a programação abaixo; suponha que "hoje é 5ª feira".
   b) formule perguntas ao colega sobre programas de TV.

QUARTA

	MANHÃ	TARDE	NOITE
CULTURA	**8h20** Cesta Básica **9h** Cesta Básica **9h30** Rá-Tim-Bum **10h** Glub-Glub **10h30** Vestibulando **11h30** Programa de Saúde **12h** Jornal da Cultura 60'	**13h** Suave é a noite **14h** Vestibulando **15h** Rá-Tim-Bum **15h30** Glub Glub **16h** Os Bichos **17h05** Super Aventuras **17h30** Papi Informal **18h** Cesta Básica **18h30** Escola Vira **19h** Rá-Tim-Bum **19h30** Glub Glubz	**20h05** Goya **21h** Cultura Geral: "A Espada do Islã" **22h** Jornal da Cultura **22h30** Metrópolis **23h** Suave é a Noite **0h** Esporte

QUINTA

	MANHÃ	TARDE	NOITE
MANCHETE	**7h30** Brasil 7h30 **8h** Cometa Alegria **12h** Maskman **12h25** Manchete Esportiva **12h45** Edição da Tarde	**13h25** Sessão Super Heróis **15h** Clube da Criança **17h20** Copa Brasil de Voléi **18h55** Boletim Tênis **19h10** Jornal Local **19h30** Pantanal	**20h30** Horário Político do PSD **21h30** Jornal da Manchete **22h30** Amazônia **23h30** Paixão e Ódio **0h30** Momento Econômico **0h35** Noite e Dia **1h15** Chip's

SEXTA

	MANHÃ	TARDE	NOITE
SBT	**7h** Jornal do SBT **7h30** Sessão Desenho **9h** Sessão Desenho **10h30** Show Maravilha **12h30** Chapolin	**13h** Chaves **13h30** Filme: "Terrorismo em Washington" **15h30** Programa Livre **16h30** Sessão Desenho **17h** Dó Ré Mi **17h30** Chapolin **18h** Chaves **18h35** Aqui Agora **19h42** Economia Popular **19h45** TJ Brasil	**20h30** Carrossel **21h** Ambição **21h30** Simplesmente Maria **22h15** A Praça é Nossa **23h15** Jornal do SBT - 1º Edição **23h30** Jô Soares Onze e Meia **0h45** Jornal do SBT - 2º Edição **1h15** TJ Internacional

SEXTA

	MANHÃ	TARDE	NOITE
GLOBO	**6h30** Telecurso 2º Grau **7h** Bom Dia Brasil **7h30** Bom Dia SP **8h** Xou da Xuxa	**13h** Globo Esporte **13h10** SP Já **13h30** Cambalacho **14h40** Filme: "Aventureiros do Fogo" **17h** Escolinha do Professor Raimundo **17h30** Roque Santeiro **18h** Felicidade **18h50** Vamp **19h45** SP Já	**20h 5** Jornal Nacional **20h40** O Dono do Mundo **21h30** Globo Repórter **22h30** Filme: "Um Homem Destemido" **0h30** Jornal da Globo **1h** Força Diabólica **1h45** Filme: "Ajudem-me, Estou Vivo"

Agora complete:

1) — Quem assistiu "Goya", na Cultura, _____ ?
   — Eu. Foi ótimo!

2) — Quando você ouviu essa notícia?
   — ___ , no noticiário da Manchete, às 7:00h.

3) — _____ , na Globo, vai passar "Aventureiros do Fogo".
   — Ah... eu já assisti.

4) — O Pedrinho assistiu o "Rá-Tim-Bum" ____ e adorou!
   — É! É melhor que o "Xou da Xuxa".

5) — ______ o Jô (programa "Jô Soares Onze e Meia") vai entrevistar o presidente da IBM.
   — Ah, ele vai falar sobre a greve. Acho que eu vou assistir.

6) — Você já assistiu "Amazônia"?
   — Ainda não, mas acho que vou ver essa novela ________. Dizem que é muito boa!

Exercício Oral

Presente contínuo:

A partir de comandos dados como "Mauro, você podia fechar a porta?", explorar o uso do presente contínuo:

Exemplos:

— O que você está fazendo?
— Eu estou fechando a porta.
— Sérgio, o que o Mário está fazendo?
— Ele está fechando a porta.

Exercícios Escritos

Complete com o verbo no tempo adequado:

Eu __________ (chegar) no Brasil em junho do ano passado. Minha família __________ (mudar) pra cá porque agora meu pai __________ (trabalhar) num projeto novo da Ford.

Eu ________ (ter) uma irmã mais velha e um irmão mais novo. Minha irmã __________ (estar) nos Estados Unidos porque ela __________ (fazer) faculdade lá. Meu irmão, é claro, ________ (morar) aqui no Brasil com a gente. Nós _____ (ser) bons amigos e ________ (dormir) no mesmo quarto. Nós ________ (gostar) das mesmas coisas: música e basquete. Ontem nós ________ (ir) a um show lá no Morumbi. Eu nunca _____ (ver) tanta gente junta! Eu __________ (dançar) o tempo todo, mas meu irmão não __________ (curtir) muito, __________ (ficar) meio paradão. Agora que nós já __________ (falar) melhor português, nós __________ (planejar) acampar com uns amigos brasileiros. Na semana que vem meu irmão ________ (pegar) emprestada a barraca de um colega dele. Nós __________ (viajar) de ônibus até Ubatuba e de lá __________ (pegar) carona até a praia onde nós __________ (ficar).

Nós só ______________ (voltar) quando o dinheiro acabar.

Complete com os pronomes indefinidos:

1) — Dona Marta, tem __________ recado pra mim?
— Não, dr. Ricardo. __________ ligou para o senhor.

2) — Eu tenho que fazer __________ coisa para reconquistar a Vera!
— Você precisa entender que ela não quer mais nada com você.
— Será que ________ acabou mesmo?!

3) — Que barulho é esse?
— Eu não ouvi __________ barulho.
— Acho que foi no vizinho.
— Ué, mas ________ me disse que eles estão viajando...
— Será que é __________ ladrão?
— Em vez de ficar falando, é melhor fazer __________coisa!
— Vou dar uma olhada da janela... Tá escuro! Não "tô" vendo __________ .
— Tem __________ lanterna nessa casa?
— Não, __________ . Só tem __________ velas na gaveta.
— __________ precisa ir lá dar uma olhada, mas parece que ________ "tá" com coragem...
— "Pera" aí, gente. Tem ________ saindo da casa... Ah! é a faxineira! Ufa! Que alívio, hem?.

ATIVIDADES

Monte diálogos a partir dos roteiros:

1) No telefone:
Uma amiga telefona para você convidando para uma festa no final da semana.
Você aceita, pergunta o horário e o tipo de festa (formal/informal)
Sua amiga responde que vai ser um jantar formal.

2) Na loja:
Você vai ao shopping para comprar um vestido.
Pergunte sobre formas de pagamento (à vista, crediário, cheque pré-datado, cartão de crédito).

3) À noite, em casa:
Você conta a seu marido sobre o convite.
Ele acha ótimo, mas o problema é com quem deixar as crianças e vocês discutem as várias possibilidades.

CHARADA

No hotel

O hóspede se dirige à recepção:
— Por favor, tem algum recado pra mim?
— Um minuto. Tchovê...

Ao dizer isso o recepcionista está:
( ) falando sobre o tempo.
( ) querendo ver/checar alguma coisa.

Exercícios Orais e Escritos

COMPARATIVOS: Compare a televisão brasileira com a do seu país usando as sugestões abaixo:

Quantidade: *muito(s), muita(s)/pouco(s), pouca(s).*

- música
- filmes
- canais
- esporte
- noticiários
- propaganda
- programas de humor
- programas de auditório
- programas culturais

Qualidades:

- opiniões críticas
- interessante
- filmes bons/ruins
- comerciais inteligentes
- produção de novelas

Compare duas lanchonetes usando as sugestões abaixo:

- hamburger gostoso X ruim
- batata frita sequinha X murcha
- milk shake com pouco X muito sorvete
- banheiro limpo X sujo
- cozinha limpa X suja
- serviço bom X ruim
- muita X pouca gente
- cara X barata
- muitas X poucas opções de sanduíche
- muita bagunça X organizada
- atendimento personalizado X impessoal
- fazer o saduíche como você pede X sanduíches prontos

Complete com partes do corpo:

2 letras: pé
3 letras: mão
5 letras: rosto, perna, nariz
6 letras: queixo, joelho, umbigo
8 letras: cotovelo
9 letras: tornozelo

Completar com o Imperativo do *tu* (informal):

1) — ___________ (contar) pra ela, Marcos.
— Ah, não, ___________ (falar) você.

2) — Oi, Pedro. Tudo Bem?
— Tudo bem.
— ___________ (sentar) aí, cara.

3) — Dona Severina, ___________ (trazer) um suco pra gente, por favor.

4) — Ana, ___________ (vir) cá um pouco.
— Já vou.
— ___________ (olhar) o que eu comprei pra você!
— Pra mim? Que lindo!... Brigada, hein? Adorei!

5) — ___________ (passar) essa bola, pô!
— Ah, não ___________ (encher)!
— Fominha!

6) — Garçom, me ___________ (ver) outro guaraná, por favor.
— Da Antártica?
— É.

7) — Bia, você me ________ (fazer) um favor?
— Claro!
— ________ (pôr) essa carta no correio pra mim.

8) Toc toc toc
— ______ (poder) entrar. A porta está aberta.

9) — Moço, ________ (dar) um trocado?
— ____________ (olhar) aqui.

10) — Seu Luís, o Daniel quer falar com o senhor.
— ____________ (mandar) ele entrar.

Preste atenção aos diálogos e escolha a forma do Imperativo apropriada (*faz/faça; entra/entre* etc):

1) — Dona Marta, por favor, ________ (trazer) a ficha do dr. Medeiros.
— Pois não.

2) — Sérgio?
— Pois não, professor.
— Por favor, __________ (trocar) de lugar com a Silvia.

3) — Bom, Flávia, eu já vou embora.
— Ah, Miriam... Ainda é cedo! ________ (ficar) mais um pouco!...

4) — Por favor, meus senhores, o presidente está chegando. ________ (fazer) silêncio!

5) — João, você sabe onde é pra guardar a bola de basquete?
— Num sei. ________ (pôr) aí no chão.

Revisão de pronomes. Complete com *você(s), o(s) senhor(es), a(s) senhora(s)*

1) — Maria, ___________ aceita uma Coca?

2) — Bom dia, dona Francisca. Como vai ____ ________ ?

3) — Boa noite, seu Ferreira. Como vai ______ ________ ?

4) — Jorge, ___________ podia me ajudar a fazer esse exercício?

5) — Seu João, ___________ falou com o Celso?

6) — Cláudia, onde ______ comprou essa calça?

7) — Dona Lúcia, com quem __________ foi a Brasília?

8) — ________ aceita mais um café, dr. Pereira?

9) — ___________ já pagou a conta, Rodolfo?

10) — Dona Isabel, __________ podia explicar isso de novo, por favor?

Pratique o comparativo utilizando o vocabulário abaixo como apoio:

inteligente	fácil	difícil
chato	mentiroso	simpático
eficiente	animado	irritado
bom	estranho	ruim
sério	feliz	triste
sortudo	engraçado	azarado
largo	estreito	sutil
duro	sujo	caro
limpo	mole	alto
frio	perigoso	sofisticado
gostoso	pequeno	novo
feio	moderno	longe
calmo	perto	cheio
vazio	doce	macio
salgado	exigente	importante
escuro	magro	bonito
comprido	forte	gordo
interessante	curto	fraco
honesto	grosso	trabalhador
fino	nervoso	rápido

VAMOS OUVIR?

1) Pronto para o bloco 2? Então, cubra o texto escrito e ouça:

RITMO E ENTONAÇÃO

Toda língua tem um ritmo próprio, um pano de fundo que a identifica. Sobre esse pano de fundo nós imprimimos as emoções, que dão vida à língua: alegria, surpresa, raiva, etc. É a melodia da língua, que chamamos entonação. Pense numa orquestra; o violino, o piano, a flauta, dão a entonação; o contrabaixo, a percussão, marcam o ritmo.

A consciência do ritmo na aprendizagem de uma língua é fundamental. Agora preste atenção nessas frases:

Bom dia, dr. Renato.

Eu moro em São Paulo.

Eu queria um café.

Ouça novamente as três últimas frases do texto e escolha, nos gráficos abaixo, qual representa melhor o ritmo do português:

a) —— ——   c) ‾‾\ ‾‾\

b) /\/\/   d) _/ _/

Como você observou, o ritmo do português é descendente. Repita as frases, acompanhando o ritmo com a cabeça ou com as mãos, para perceber bem.
Agora, vamos observar a entonação. Ouça na fita a frase "Você vai", preste atenção às diferentes entonações e em seguida faça o exercício. Você consegue identificar o que as frases sugerem?

( ) surpresa
( ) desapontamento
( ) ordem
( ) alegria

Agora ouça o texto seguinte

SOTAQUE

Uma característica interessante da oralidade é o sotaque, que é o jeitinho diferente de falar a mesma língua. O português do Brasil, por exemplo, é diferente do português de Portugal, apesar da língua ser a mesma. É o caso do inglês falado nos Estados Unidos e o falado na Inglaterra. Além das diferenças de um país para outro, há as diferenças dentro do mesmo país. Num país grande como o Brasil, então, nem se fala!

Preste atenção. Agora você vai ouvir alguns sotaques de diferentes regiões do Brasil.

Não é incrível a diferença? (os diálogos que você acabou de ouvir estão na página 69-70 do livro texto).

NA PIZZARIA

Três amigas vão comer pizza domingo à noite, como é hábito de grande parte dos brasileiros. Observe o cardápio de pizzas (p. 21) e tente identificar "quem é quem" no diálogo que você vai ouvir, a partir das seguintes informações:

Renata não gosta de cebola.
Paula não gosta de ovos.
Fátima não gosta de azeitonas.

garçom: — Boa noite. Olha aqui o cardápio.
Renata: — Obrigada.
garçom: — Vocês querem pedir as bebidas?
Renata: — Tem guaraná "diet"?
garçom: — Tem.
Paula: — Então me vê um guaraná "diet".
Fátima: — Eu vou querer um chopinho.
Renata: — Pra mim, um suco de laranja sem açúcar, com gelo.

O garçom sai para buscar as bebidas. As três amigas vão pedir uma pizza grande, meio-a-meio:

.... — Eu tô com vontade de comer uma de lombinho...
.... — Ah, não! Lombinho não, tem azeitona
.... — Vamos pedir uma meio napolitana e meio portuguesa.

Chega o garçom com as bebidas e aguarda o pedido da pizza.

.... — Portuguesa, não! Que tal atum?
.... — Atum? Deus me livre! Vai cebola, não vai?
garçom: — Bom, já tá decidido que é meio napolitana. E a outra metade, que tal milho verde?
.... — É, boa idéia! Então, meio napolitana e meio milho verde. Tudo bem, gente?

UNIDADES VIII, IX e X

Exercícios Orais e Escritos

Pretérito Imperfeito. Conte como *era* a vida deles:

1) 1977: Jorginho tem 19 anos e é ponta-esquerda do Palmeiras. À noite ele vai de ônibus para a Faculdade, onde estuda Educação Física, e volta de carona com um colega. Ele sonha em jogar na seleção brasileira.

2) 1973: Rui trabalha na Bosh. Ele é supervisor de manutenção do turno da noite. Assim que chega ao trabalho, ele recebe um relatório do supervisor do turno do dia. Em seguida ele põe o equipamento de segurança — óculos e capacete — e inspeciona as máquinas.

3) 1983: Virgínia mora no Guarujá e pratica windsurf. Nesse ano ela está treinando todo dia porque vai ter um campeonato nas férias. Sua mãe anda preocupada com as notas do colégio já que ela passa quase o dia inteiro praticando no mar.

4) 1988: Neste sábado vai ter uma reunião da turma na casa da Sandra. Faltam só duas semanas para as férias e ninguém sabe ainda o que fazer — uns acham que é melhor ir pra Juréia e outros querem ir pra Campos de Jordão.

5) 1981: Margarida Prosdócimo é gerente do Banco do Itaú. De manhã ela visita as empresas que são clientes do banco. Geralmente ela vai almoçar com um desses clientes. À tarde Margarida fica na agência e analisa os pedidos de empréstimos, além de supervisionar todo o trabalho. Depois que a agência fecha para o público, ela faz uma reunião com toda a sua equipe.

ATIVIDADES

Criar propaganda de produtos milagrosos de beleza e contra a calvície. Descrever as características dessas pessoas imaginando o tipo de vida de cada uma nos dois momentos de sua vida.

Sugestões:

era infeliz	está realizado
nunca ia à praia	usa biquíni
não dançava	vive nas boates

Outras sugestões para exercitar o uso do Imperfeito:

1) Fazer um organograma da família; trazer um álbum e falar sobre a família.

2) Pegar uma foto sugestiva, fixar uma data passada e a partir daí desenvolver a personagem descrevendo suas características, imaginando suas preferências e estilo de vida.

Produção escrita: Continue você a história abaixo:

ACREDITE SE QUISER:
UM JACARÉ NO RIO TIETÊ

O rio Tietê, que atravessa São Paulo, é um dos mais poluídos do mundo. Não há nenhum tipo de vida em suas águas — nem peixes, nem aves, nem plantas.

Pois bem. Um dia alguém avistou um jacaré nadando tranqüilamente em suas "águas". A notícia se espalhou logo; veio gente de todo lado para vê-lo. Chamaram a polícia florestal que chegou toda equipada para tentar salvá-lo. Depois de dois dias de trabalhos intensos, os policiais desistiram, certos de que o animal já estavam morto no fundo do Tietê.

Alguns dias depois a estrela do momento volta a surpreender a todos tomando sol nas margens do rio. Parecia estar se sentindo bem à vontade em seu novo habitat.

Pesquisa em jornais e revistas para localizar e identificar os pronomes oblíquos. Perguntas e respostas; exercício oral com a classe.

Exemplos:
— Onde você vai encontrar a Cláudia?
(— Eu vou encontrá-la na porta do cinema.)
— Quando vocês visitaram o Cláudio?
(— Nós o visitamos sábado.)

Faça pedidos para seu colega usando *trazer, levar* e *buscar*:

— João, você podia me trazer essa chave que está aí dentro da gaveta?

Vocabulário para completar o exercício:

embaixo de	em frente de	dentro de
em cima de	atrás de	fora de
ao/do lado de	perto de	
	longe de	

VAMOS CRIAR?

Descreva duas pessoas que você conhece acrescentando pelo menos 3 novas características.

Descreva um colega e leia em voz alta para que os outros tentem identificá-lo (pode ser feito em grupo).

OBS.: Consulte a pág. 117 do livro-texto.

ATIVIDADES

Montagem de situações a partir de sugestões:

Três estudantes estão planejando ver o show do Caetano Veloso:

1) Como comprar os ingressos?
- venda nos postos Esso
- quem fica responsável pela compra dos ingressos

2) Novo encontro:
- o responsável não comprou os ingressos
- sugestão: ir a outro posto
- discutir como ir e em qual posto

3) Comprando os ingressos
- lugar no estádio: gramado/arquibancada/cadeira numerada
- preço
- comparações

4) Como ir?
- um pai leva
- táxi
- ônibus

5) Chegando no local do show
- suposições: muita gente; lugar bom/perto/longe; encontrar alguém conhecido

6)No caso do pai/mãe/motorista particular levar, determinar local e horário de encontro após o show.

7)Discussão sobre a viabilidade de comprar camisetas com a foto do cantor: preço, tamanho, cor.

8)Discussão sobre o melhor lugar para sentar:
- visibilidade
- grupo muito agitado/muito devagar
- espaço para dançar

9)Comentários durante o show:
— som: acústica, altura, etc.
— músicas conhecidas/novas
— efeitos especiais

Você pode, por exemplo, começar assim:

Marcelo: — E como é que a gente faz pra comprar os ingressos?
Sandra: — Parece que estão vendendo nos postos Esso...
Luiza: — É, estão sim. O Marcelo... tem um pertinho da sua casa!
Marcelo — É... eu sabia que ia sobrar pra mim... Não é TÃO pertinho assim, mas tudo bem... Eu compro.

CHARADA

Você está no aeroporto e ouve alguém dizendo:
— Eu nunca tinha ido pra Manaus!

Pergunta: Essa pessoa está *indo* para ou *voltando* de Manaus?

Pratique o Pretérito mais que Perfeito a partir dos modelos:
(atividade oral professor x aluno)

Exemplo:

1) — Você foi à praia no fim de semana?
— Fui.
— Foi a primeira vez
a) — Não, eu já tinha ido antes.
b) — Foi, eu nunca tinha ido antes.

2) — João, você apagou a luz?
— (Não.) A Flávia já tinha apagado.

Exercícios Escritos

Complete com os pronomes objetivos (*o, lhe, me, a, nos* etc):

1) — Você quer uma carona?
— Não, obrigado. Minha mãe vem me buscar. Eu vou esperar ________ na esquina.

2) — Vilma, quem é o novo diretor?
— Vocês ainda não ________ conhecem? Vou apresentar ________ para vocês no final da aula.
Às quatro da tarde:
— Atenção, pessoal! Eu quero ________ apresentar o Sr. Freitas, nosso novo diretor.

3) — Moço, essa cachorrinha tá tão quietinha... Será que ela tá doente?
— Não, minha senhora. Todas estão em perfeita saúde; o veterinário ________ examinou hoje de manhã.

4) — Dr. Cardoso, o "seu" Siqueira está na linha B. O senhor pode atender ________ ?
— Posso, sim.

5) — Por favor, "seu" Carvalho. A Mariana está?
— Quem quer falar com ela?
— É um amigo...
— Ah! Você de novo, hem? Eu já ________ falei pra não ligar mais pra cá!!!
(PLIC!)

ATIVIDADES

1) Fazer um álbum de fotografias da turma da escola, do trabalho ou do clube. Usar o superlativo para identificar um(a) dos(das) colegas (consultar o vocabulário da página 117, exercício 12 (**Fala Brasil** - Livro-Texto).

Exemplos:

A Paula era a mais estudiosa de todas.
Esse é o Cláudio, o cara mais engraçado do clube.
Essa aqui é a Valéria. Ela é uma engenheira competentíssima.

2) Retomar as atividades sobre comparativo das páginas 25 e 26 deste volume e adaptá-las para o uso do superlativo:

Qual o melhor sorvete de São Paulo?
Qual a pizza mais gostosa que você já comeu?

3) Faça uma pesquisa para verificar como os seus amigos brasileiros expressam a idéia de superlativo.

Exemplo: Esse disco é (ótimo!) — *superlegal*!

Exercícios Escritos

Caça palavras — Características e estados psicológicos:

AGRESSIVO	CURIOSO	INTERESSANTE
ARROGANTE	DESANIMADO	INVEJOSO
CALMO	ESFORÇADO	MAL-HUMORADO
CHATO	INGÊNUO	SIMPÁTICO

D A R E T N A G O R R A C O H O
E T P O M U H U L C I B A D S S
S A O V E X G R E N U C H A T O
A S C A L M O L T E Z Q U R I J
N O I T S A P J A G E R R O V E
I N T E R E S S A N T E B M Ç V
M U A R R A T E G I B M O U O N
A D P O R P A Ç R F S E S H L I
D A M B E I O E E S I V A L D E
O P I T W Z R E S F O R Ç A D O
Z A S G I J O L S E J O A M A M
P T O U N E G N I N V E G A N O
O C A R R E I N V E F O S I J A
F O J E V N I C O S O I R U C O

ATIVIDADES

1) a) Observe o uso do Futuro do Presente no folheto abaixo "Governando São Paulo". Partindo dele, escreva um texto explorando o uso do Futuro do Pretérito.

Exemplo:
O candidato disse que se eleito defenderia etc.

GOVERNANDO SÃO PAULO:

- **Defenderá** os interesses econômicos e sociais de São Paulo, atualmente com um milhão de desempregados, as empresas sufocadas pela recessão e conseqüentemente os trabalhadores com seus salários defasados.
- **Valorizará** a atuação da Secretaria do Trabalho (desativada pelo atual Governo), na defesa dos assalariados da cidade e do campo, fiscalizando o cumprimento das normas que protegem o operário de acidentes do trabalho e de doenças profissionais.
- **Patrocinará** sem restrições a escola pública e gratuita, especialmente de 1º e 2º graus. Escola integrada e de tempo integral, principalmente nas regiões carentes, onde as crianças estudem, brinquem, se alimentem, tenham assistência médica e aprendam as regras da higiêne.
- **Implantará** imediatamente, uma política habitacional com recursos financeiros do Estado e com a utilização do dinheiro do FGTS e da poupança, cuja atual destinação é escondida da opinião pública pelo Governo Federal. Um sistema habitacional que enfrente, com seriedade, a falta de dois milhões de casas, o que envergonha São Paulo e reduz milhares de trabalhadores a condições indignas do ser humano.
- **Reorganizará** radicalmente a Saúde Pública, hoje em estado calamitoso, de forma a servir a população trabalhadora, desprotegida ante a doença e a falta de condições de hospitalização e de assistência médica.
- **Desenvolverá** uma política agrícola com garantia de financiamento, ao pequeno e médio produtor rural, responsáveis pela produção de alimentos, barateando os preços e assegurando ao nosso povo maiores condições de saúde.
- **Proporcionará** segurança à população, à partir do policiamento ostensivo dia e noite, em especial nos bairros pobres, principais vítimas da violência.
- **Defenderá** com intransigência, os direitos da mulher e do negro, que sempre sofreram discriminações na esfera social e econômica.
- **Garantirá** aos trabalhadores a liberdade sindical e o direito de greve, principais instrumentos de defesa do salário e de melhores condições de trabalho.

GOVERNANDO SÃO PAULO COM A GRANDEZA DE SÃO PAULO

Eleições 92

b) Exercitar oralmente a plataforma de governo acima com a forma *IA + INFINITIVO.*

c) Propor a eleição de um líder mundial. Os candidatos poderiam ser:

Boris Yeltsin • Bill Clinton • Sadan Hussein
Itamar Franco • François Miterrand
Helmut Koll • John Major etc.

Os alunos deverão defender seu candidato usando o futuro com o verbo *IR*.
Ex: Ele vai acabar com as armas atômicas e ...

Após a discussão fazer a votação. Os dois mais votados participarão do segundo turno. Novas eleições.

d) Dividir a classe em dois grupos; cada equipe redige a plataforma de um dos dois candidatos mais votados. (Uso do futuro do presente).

e) Debate entre os grupos: Justificar o voto da seguinte maneira:

Eu votei em... porque {
ele disse que...
ele afirmou
ele falou
ele prometeu
eu sabia que...
eu acho

Eu votei em branco
Eu votei nulo
Eu anulei o voto
} porque fulano... e beltrando...

f) Vinte anos depois você está reunido com amigos falando sobre a primeira eleição para líder mundial. (Explorar o uso do futuro do pretérito).

Exercício Escrito

Responder usando o Futuro do Pretérito (cond.), uso II:

O QUE VOCÊ FARIA ...

1) Se um tio lhe deixasse como herança uma fazenda no meio da floresta Amazônica?
2) Se o Mel Gibson/a Julia Roberts tocasse a campainha da sua casa?
3) Se soubesse que o mundo acabaria amanhã?

4) Se fosse roubado na rua?
5) Se ganhasse 500 milhões de dólares?

Sugestões
- gritar
- pagar as dívidas
- dar um chute nele
- chamar o Sting pra administrar
- se mandar para uma ilha deserta
- derrubar a mata a vender a madeira
- reunir os amigos
- pôr no banco
- desmaiar de susto
- fazer xixi na calça
- dizer que não quer comprar nada
- bater a porta na cara dele/dela.

Discurso indireto
(pág. 156 - FALA BRASIL - Livro -Texto)

1) Você foi ouvir uma palestra sobre Ecologia com um tio meio surdo. A todo momento ele perguntava a você: O que aconteceu? / O que é que ele disse?/ Como?/ etc.
2) Monte o possível diálogo para a situação acima junto com dois colegas.
3) Cada grupo dramatiza a sua montagem.

VAMOS OUVIR?

O ministro da fazenda foi hoje a Porto Alegre para uma reunião do Mercosul. No aeroporto o ministro falou com os jornalistas sobre o aumento da inflação. Segundo ele, esse aumento foi causado pela subida das taxas de juros. O ministro disse que pretende baixar a inflação agindo em duas frentes. Em primeiro lugar, atuar através do Banco Central fazendo baixar as taxas de juros. Em segundo lugar, efetuar cortes no orçamento do governo, como por exemplo eliminar o subsídio do álcool, conforme medidas já encaminhadas ao Congresso. O ministro está ciente de que essas medidas causarão controvérsias em diversos segmentos. De acordo com o ministro há resistências no próprio Congresso para a aprovação dos cortes. No entanto, ele acredita que suas propostas serão aprovadas ainda esta semana e que, ao contrário do que vem se afirmando, a solução para as questões econômicas do país estão bem próximas.

O ministro disse ainda que ou a sociedade como um todo enfrenta a inflação, ou não haverá solução para o problema. Em sua opinião, cabe a toda a sociedade participar da guerra contra a inflação, já que esta atinge a todos nós.

Exercício a):

1. De que forma o ministro pretende combater a inflação?

____
____
____

2. Você acrescentaria mais alguma coisa medida na proposta do ministro? Por quê?

____
____
____
____
____

3. Em sua opinião, como a sociedade poderia contribuir para solucionar o problema da inflação?

____
____
____
____

Exercício b):

Ouça novamente o texto sobre o ministro da fazenda e observe as conjunções e expressões utilizadas pelo narrador para ligar idéias. (Consulte o quadro da p. 157 no Livro-Texto). Anote as que você encontrar nos espaços abaixo:

________ ________ ________
________ ________ ________
________ ________ ________
________ ________ ________

Expressões como essas vão ajudar você a expor melhor suas idéias. Agora ouça o texto "O ensino do português para estrangeiros na cidade de São Paulo". Depois de compreender e responder as questões, vai ser a sua vez de narrar!

O ENSINO DE PORTUGUÊS PARA ESTRANGEIROS NA CIDADE DE SÃO PAULO*

"Os cursos de Português para Estrangeiros destinam-se a adultos, sendo a maioria da clientela constituída de executivos de diversas nacionalidades, porém há, atualmente, uma certa predominância de japoneses, fator relacionado a demanda econômica de nosso mercado.

Muitas donas-de-casa, esposas de executivos, também procuram escolas de Português.

A faixa etária varia entre 30 e 50 anos mas há algumas escolas que são freqüentadas também por jovens entre 16 e 24 anos.

A maior parte da clientela vem ao Brasil a serviço de multinacionais, com contratos de 2 a 4 anos. Os imigrantes têm um interesse maior na aprendizagem da língua, mas a grande maioria deles não frequenta um curso de Língua Portuguesa, preferindo aprender fora de escolas, apenas pela convivência com os brasileiros. Geralmente os cursos são frequentados por pessoas que possuem uma certa cultura e poder aquisitivo maior.

Grande parte dos estrangeiros vive em suas "colônias" linguísticas e só falam Português na escola: este é um dos fatores que prejudicam o ensino/aprendizagem da segunda língua.

A maioria das escolas oferece três níveis: básico, intermediário e adiantado. A grande procura é pelo básico, com poucos se demorando até o adiantado."

(J.C. Kunzendorff)

Responda as questões abaixo que servirão de roteiro para você fazer um relato.

1. Qual o perfil de um aluno que procura um curso de Português como Língua Estrangeira?

___

___

2. Por que a vivência em "colônias linguísticas" não favorece a aquisição da segunda língua?

___

___

3. Por que você acha que a maioria dos alunos não chega ao nível adiantado dos cursos?

___

___

* As atividades que se seguem foram elaboradas por João Bosco Cabral dos Santos e Elizabeth Fontão do Patrocínio no Grupo de Trabalho de Português para Estrangeiros (1991), coordenado pelo professor José Carlos Paes de Almeida Filho, Unicamp.

Agora relate o texto oralmente:

1. Para introduzir o tema você pode dizer:

> Este texto fala sobre...
> Trata-se de um texto sobre...
> A autora trata...

2. Apresentando as idéias do texto você diz:

> O ponto principal é...
> A idéia central do texto é...
> A autora afirma que...

3. Para concluir o texto fala-se:

> Finalizando...
> A autora conclui que...
> Pode-se depreender que...

A partir das idéias do texto vamos debater o tema:

Por que aprender outra língua?

1. Para introduzir uma idéia dizemos:

> Eu acho que...
> A meu ver...
> Na minha opinião...

2. Em caso de dúvida sobre alguma idéia colocada diga:

> Não entendi quando você falou sobre...
> O que você quis dizer com...
> quer
> Gostaria que você explicasse melhor...

3. Ao discordar de alguém falamos:

> Não concordo com...
> Desculpa, mas eu acho que...
> Não sei se é por aí... mas...

Selecione palavras para escrever um sumário sobre

"O que é aprender Português como Língua Estrangeira?"

__________ __________ __________

__________ __________ __________

__________ __________ __________

Você pode começar assim:

A experiência de aprender uma segunda língua... Ao se estudar uma Língua Estrangeira... Falar outra língua significa...

Ao desenvolver o tópico podemos utilizar:

Em primeiro lugar... (enumeração de idéias) segundo ... como por exemplo... (exemplificação) ... por outro lado... (contraste)

Para concluir seu sumário:

Portanto... Assim... Dessa maneira...

UNIDADES XI a XV

ATIVIDADES

Montagem de diálogos. Tema: no cabeleireiro:

Sugestões para ampliar seu vocabulário:
tingir
descolorir
fazer reflexo
fazer luzes
fazer permanente
fazer trança
fazer escova
aparar as pontas
cortar na nuca
cortar em cima da orelha
pôr gel
pentear para trás
raspar dos lados
raspar a cabeça
repartir do lado direito
repartir do lado esquerdo
repartir no meio
fazer limpeza de pele
tirar cutícula
cortar a unha quadrada
cortar a unha arredondada.

NOTA:

Revisão: antes/depois; locuções prepositivas

DEPOIS DO/DA + NOME: depois da aula

DEPOIS DE + INFINITIVO: depois de ter aula

DEPOIS QUE + ORAÇÃO: depois que eu saí (verbo conjugado)

ANTES DO/DA + NOME: antes do café da manhã

ANTES DE + INFINITIVO: antes de tomar café da manhã

CUIDADO!

ANTES QUE + ORAÇÃO pede o verbo no subjuntivo. Por enquanto, evite esta construção.

Leia o texto abaixo com atenção:

Marilda sai de seu barraco às 5:15h. para ir pegar o ônibus. Às 4:30h. ela já está preparando o café para a família e a marmita do marido. Para dar tempo de fazer tudo isso, ela acorda às 4:15h.

Marilda entra no serviço às 7:30 e sai às 17:00h. Para chegar ao apartamento de sua patroa, dona Tereza, ela pega duas conduções. Às 7:00h, quando ela desce do primeiro ônibus, compra pão e leite para a família.

Dona Tereza é casada com o dr. Fernando e eles têm uma filha de doze anos, Gisela.

O dr. Fernando acorda às 7:20h. e faz dez minutos de ginástica. Então, ele toma um banho, toma o café da manhã e lê o jornal que Marilda compra todo dia na banca em frente ao prédio. Como o dr. Fernando começa a atender em sua clínica às 9:00h., ele só sai de casa lá pelas 8:15h.

Gisela entra no colégio às 13:30h. e almoça ao meio-dia, já que a perua da escola passa para pegá-la às 12:30h.

Dona Tereza acorda mais tarde que a filha e o marido, às 9:00h.; ela é jornalista e nunca chega em casa antes das dez da noite. Ela toma café e vai ao clube com a filha. Enquanto Gisela faz sua aula de natação, dona Tereza faz ginástica. Elas chegam em casa às 11:30h.

1) Responda as questões abaixo usando *antes/depois* (*de, do...*) de forma a relacionar duas ou três orações:

   1) Quando a Marilda compra jornal?
   2) Quando o dr. Fernando toma banho?
   3) Quando a Gisela almoça?
   4) Quando a Marilda prepara a marmita do marido?
   5) Quando o dr. Fernando sai de casa?
   6) Quando a dona Fernanda acorda?
   7) Quando a perua passa para pegar Gisela?
   8) Quando dona Tereza e Gisela vão ao clube?

2) Faça outras questões para seus colegas utilizando o mesmo texto.

3) Vocês conheceram um pouco da vida de uma empregada doméstica em São Paulo (Marilda). Faça uma PESQUISA com as pessoas que você conhece (motorista, empregada, porteiro, zelador, faxineira) para saber como elas vivem: a que horas acordam, quanto tempo levam por dia no transporte, como se divertem, quanto tempo têm para se dedicar aos filhos etc. Após a pesquisa, troque informações com seus colegas e façam um DEBATE sobre o tema, procurando utilizar as locuções prepositivas da coluna 2, p. 164 (Fala Brasil - Livro-Texto).

CHARADA

Quando um(a) brasileiro(a) diz que vai comer um americano, significa:

a) que ainda há canibais no Brasil
b) que ele (ela) vai comer um sanduíche de presunto, queijo, ovo, alface e tomate
c) NDA (nenhuma das alternativas)

Exercícios Escritos

Consulte a página 164 do Livro-Texto e complete com locuções prepositivas:

1) — Eu gostaria de fazer esta reunião com toda a equipe ________ traçarmos os planos para o próximo ano.

2) — O que vai cair na prova de geografia?
— Você não acredita! ________ os capítulos 3 e 4, na última hora ela mandou estudar também o 5.

3) — Afinal, onde nós vamos almoçar?
— Eu sugiro o "Churrasqueiro" porque _____ barato, a comida é boa e não tem muita gente.

4) — Quem é esse tal de Santos Dumont?
— Você não sabe? ________ os brasileiros foi ele que inventou o avião.

5) — Ih, gente! Eu ouvi dizer que o João dedou todo mundo que passou trote na Márcia.
— É verdade... E ela disse que ____________ não vai mais fazer a festa na casa dela.

6) — Sinto muito, moço, mas acabou o frango.
— Então, _____ X-frango, traz um Americano.

7) — Eu passei lá no Palace e a entrada pro show tá uma nota!
— Ah, tudo bem! _____ o preço, eu acho que vale a pena.

8) — O que há com o Raul?
— Ele ficou magoado porque só soube da notícia ____________ os jornais.

9) — O que o diretor falou para o Válter?
— Que ____________ tudo o que aconteceu, ele ainda confia no Válter.

Complete com o verbo no tempo adequado:

1) — Ontem eu não ____________ (ir) ao cinema com elas porque já ____________ (ver) aquele filme.

2) — O que ____________ (acontecer)?
— A turma ____________ (estar) chateada porque de manhã, a professora ________ (prometer) que ____________ (passar) um filme hoje à tarde, mas ____________ (esquecer) a fita.

3) — Nós __________ (procurar) o diretor para contar o que ________ (acontecer), mas alguém já _______ (contar)

4) — A reunião já _______ (acabar) e o projeto não ____________ (aprovar - voz passiva).

5) — Naquele dia tudo ____________ (estar) calmo e como eu já ____________ (fazer) minhas obrigações, ____________ (ir) dormir mais cedo.

6) — Bom dia, Ana. Você ____________ (encomendar) os convites na gráfica ontem?
— Eu ______ (sair) do escritório às 5:30h, mas quando ________ (chegar) lá, já _______ (fechar) a gráfica.

7) — Naquela época, eu não ____________ (conhecer) muitas coisas na cidade, por isso todo o sábado eu ________ (dar) uma volta pelo centro e__________ (experimentar) um restaurante novo.

8) — Hoje de manhã, o gerente de marketing _______ (ir) à reunião para explicar como ____________ (ser) o lançamento do novo produto, mas o diretor de vendas já _____ _____ (explicar) tudo.

9) — Todos os anos a família do meu irmão _______ (vir) de Cuiabá nos visitar. Nós ____________ (ficar) dez dias descansando. Esse ano eles ________ (fazer) a mesma coisa, mas como a minha cunhada ______ (estar) grávida de oito meses, eles ______ (cancelar) a viagem.

10) — Na semana passada, meu primo me ____ (ligar) dos EUA e _____ (dizer) que ____ (chegar) ante-ontem, mas até agora ele não me _______ (telefonar). Será que _______ (acontecer) alguma coisa?

Forme frases usando o condicional a partir das sugestões abaixo:

1) nós ganhar o jogo/ ser campeões
2) tudo dar certo/ acampar no fim de semana
3) a mãe dele descobrir/ficar brava
4) eu passar de ano/ viajar para o Havaí
5) eles não conseguir pegar um táxi/perder o avião
6) alguém chegar aqui/pensar que somos loucos
7) o piquenique gorar/ nós ir ao cinema
8) o computador pifar/ não dar para entregar o trabalho
9) ela chorar/ borrar a maquilagem
10) os meninos trazer a bebida/ nós fazer os sanduíches
11) o passarinho morrer/ ela ficar triste
12) vocês matar aula/ ser suspensos
13) você pôr mais pimenta/ ninguém conseguir comer
14) vocês fazer isso de novo/ eu dar um tapa em vocês
15) você dizer a verdade/ eu ajudar você
16) a vizinha ir ao clube/ eu pegar uma carona
17) o Sérgio ter paciência/ domar o cavalo
18) eu estar cansado/ não ir ao clube
19) o jogo acabar cedo/ nós comer uma pizza
20) ela estar mentindo/ ele não perdoar
21) eu poder/ participar do grêmio
22) esse barulho não atrapalhar/ eu terminar o trabalho a tempo
23) a Vera vir de trem/ chegar só à noite
24) a poluição aumentar/ minha família mudar para o interior

ATIVIDADE EM GRUPO

Formação de frases na voz passiva:

Cada grupo recebe um jogo de cartões contendo as frases a serem montadas. A equipe que conseguir construir orações com mais rapidez será a vencedora.

O show	vai ser apresentado	6ª à noite.
A Mariana	nunca é convidada	para as festas.
As provas	estão sendo entregues	hoje.
Dois jogadores	foram expulsos	de campo.

ATIVIDADES

Faça comentários utilizando adequadamente orações condicionais (modelos 1, 2 e 3 ver Fala Brasil Livro-Texto) a partir dos pressupostos abaixo:

1) — A Célia é tão teimosa! Ela não aceita ajuda de ninguém!
— É pena. Se ela ______________

2) — João, vai com a gente, por favor!
— Bem que eu queria ir, mas eu não posso. Se ______________

3) — Você comprou um exagero de carne para esse churrasco. Eu acho que vai sobrar quase tudo!
— Tudo bem. Se ______________

4) — Parece que ele não gostou do apartamento.
— É, se ______________

5) — O Marcelo não conseguiu passar no vestibular.
— Puxa! Se ______________

6) — Menina, parece que você vai ser mesmo promovida!
— Tomara! Se ______________

7) — Não sei não... Acho que vai chover
— ______________

8) — Que pena que eu não moro perto da praia!
— ______________

9) — E agora... o resultado da loteria federal!
— ______________

10) — Que bom, hem? Conseguimos ganhar o jogo!
— ______________

11) — Pois é... Parece que eu perdi uma festa e tanto!
— ______________

12) — Pô! Esse juiz é ladrão!
— ______________

13) — Eu prometo que vou trazer um vídeo-game pra você!
— ______________

14) – Abaixa esse som, cara! Os pais do Roger vão acordar!

– ______________________________

15) – É... Eu acho que ele não sabe o que aconteceu!

– ______________________________

16) – Ela não vem de carro? Que pena!

– ______________________________

Reconte os parágrafos abaixo no Futuro:

1) Sábado passado, quando eu fui ao clube, eu procurei o meu professor de tênis para dizer que eu ia faltar na próxima aula. Enquanto eu estava no clube, eu aproveitei para tirar a carteirinha nova. Assim que a carteirinha ficou pronta eu fiz uma requisião para retirar uma bola de vôlei e fui jogar com meus amigos.

2) Eu ganhei um computador e por isso entrei num curso de computação que oferece um plantão de atendimento permanente. Isso é bom, porque sempre que eu estou mexendo com ele e tenho dúvidas, eu telefono para lá.

Complete com Capitais dos Estados brasileiros

5 letras: Belém, Natal
6 letras: Maceió, Recife, Manaus, Cuiabá
7 letras: Aracaju
8 letras: São Paulo, Savaldor
9 letras: Fortaleza
11 letras: Porto Alegre
13 letras: Florianópolis

Exercícios Escritos

Forme frases com o Presente do Subjuntivo a partir das sugestões abaixo, utilizando *talvez, espero que, duvido que, tomara que* etc. (p. 199, Fala Brasil - Livro-Texto).

1) todos *concordar*
2) elas *poder* vir
3) Sílvio *voltar*
4) ele *querer*
5) nós *ter* tempo
6) eles *terminar* dentro do prazo
7) todas as alunas *poder* ir
8) ela *aceitar* a proposta
9) ela *vir* ao Brasil
10) minha equipe *ser* campeã
11) Paulo *fazer* tudo
12) ela *devolver* o rádio
13) *dar* certo
14) o carro *ficar* pronto
15) o banco *autorizar* o empréstimo
16) você *trazer* o livro
17) *dar* tempo de fazer tudo
18) elas *acordar* tarde
19) eu *ser* informado
20) a chuva *parar*

Crie pequenos diálogos de forma que o Presente do Subjuntivo seja usado em uma de suas várias formas (*fale/esteja falando/tenha falado*). Utilize, além das expressões do exercício acima, as expressões impessoais. (p. 202 Fala Brasil — Livro-Texto):

Ex: alguma coisa acontecer
— O Geraldo ainda não chegou?
— Ainda não... É possível que tenha acontecido alguma coisa!

1) o avião *pousar* com esse temporal
2) ela *saber* a verdade
3) ela *começar* a trabalhar
4) *faltar* água
5) as greves *terminar*
6) eu *poder* jogar de novo
7) nós *precisar* tirar umas férias
8) ele *arranjar* uma namorada
9) o relógio *estar* parado
10) Eliana *resolver* o problema
11) ele me *trazer* o documento
12) vocês me *dar* todas as informações
13) nossos amigos *chegar* na hora
14) os jornais não *dar* a notícia
15) João *acreditar* na nossa história
16) o cheque *ser* devolvido
17) ela *voltar* hoje
18) o presidente *ter* coragem de fazer isso
19) a situação *normalizar*
20) ninguém *mexer* nas minhas coisas

Observe as frases e depois complete com o verbo:

1) Em geral, quando eu chego em casa, eu assisto às notícias. Hoje, no entanto, quando eu chegar em casa, eu vou ler jornal.

2) Hoje à noite, quando eu for ao clube, eu vou jogar tênis, mas normalmente quando eu vou ao clube, eu faço sauna.

3) Um dia, quando eu ________ (ter) muito dinheiro, eu vou jantar fora todas as noites, mas agora, quando ________ (sobrar) algum dinheiro, eu saio pra comer uma pizza.

4) Atualmente, sempre que eu ________ (pôr) gasolina, eu pago com cheque, mas a partir do próximo mês, sempre que eu ________ (pôr) gasolina, vou usar o cartão de crédito; com a alta do combustível toda semana, sai bem mais em conta.

5) Todas as tardes, depois que ela ________ (fazer) o relatório, nós saímos para tomar um chopp, mas hoje à tarde, depois que ela ________ (fazer) o relatório, nós vamos assistir a um jogo de futebol.

6) Essa semana, assim que eu ________ (ter) um tempinho, eu ________ (dar) uma volta de bicicleta com minha filha porque ela reclama que sempre que eu ________ (ter) um tempo livre eu ________ (ler) o jornal.

ATIVIDADES

Jogo de cartas com frases condicionais:

Os alunos recebem 2 cartões de cada tipo (cores diferentes para as colunas abaixo) e vão substituindo os que não lhes interessam até que sejam formadas duas frases coerentes. Quem conseguir formar as frases primeiro ganha o jogo.

Se eu for mal na prova
Se nós tivéssemos ido ao jogo
Se o Paulo soubesse a verdade
Se ninguém quisesse ir comigo
Se eles tivessem estudado mais
Se todos toparem
Se eles trouxerem um computador
Se o Senna não tivesse batido
Se as meninas fossem educadas
Se a Ana gostasse do André
Se o álcool não tivesse acabado
Se você não tivesse se machucado

vamos acampar no fim de semana
contaria pra gente
nós já estaríamos lá
teria chegado em primeiro lugar
meu pai vai me deixar de castigo
eu iria sozinho
poderia jogar amanhã
teria se casado com ele
vão ter problemas na alfândega
teríamos visto a briga
não teriam sido reprovados
não teriam feito aquilo

Exercícios Escritos

Complete com o verbo no tempo adequado:

Fábio: Parece um bom negócio... O carro ___________ (estar) em bom estado e o preço ________ (ser) justo.

Luís: Eu não ________________ (concordar), mesmo que o preço ______________ (ser) bom e o carro ______________ (estar) em ordem, esse carro é muito pequeno para a sua família. Vocês ____________ (precisar) de um carro maior para que ___________ (poder) fazer todas as viagens que __________ (planejar), você não acha?

Fábio: Acho, só que os carros maiores _____________ (custar) caro, e a não ser que eu ___________ (conseguir) o dinheiro da diferença, duvido que nós ____________ (poder) comprar uma perua como eu ___________ (querer).

Luís: Você poderia comprar, caso você _____________ (concordar) em fazer um financiamento.

Fábio: De jeito nenhum! Eu não ___________ (fazer) um empréstimo nem que o presidente do banco me ____________ (oferecer).

Fábio: Ué, por que tanto medo?

Luís: Em primeiro lugar, porque você nunca sabe quanto ______________ (pagar) no mês seguinte; e, em segundo lugar porque, por mais que se __________________ (ler) um contrato, sempre ________ (aparecer) alguma novidade depois.

Fábio: Bom, então não tem jeito! Você _______ (ter) que se contentar com um carro pequeno.

Luís: Desde que não ________ (ser) um carro batido, tudo bem.

Fábio: Olha, pensando bem, talvez eu _______________ (conseguir) uma perua para você pelo mesmo preço desse carrinho aqui.

Luís: Se você _________ (arranjar) um negócio desse eu prometo que te _______ (levar) para jantar num restaurante francês.

Fábio: Negócio fechado. Se eu _______ (saber) de alguma coisa eu ligo para você. E, olha, vai preparando o talão de cheques porque eu _______________ (escolher) o melhor restaurante da cidade.

CHARADA

Una cada frase à situação correspondente:

Sem querer, você derruba o gato de sua namorada do 3º andar. Quando ela diria essas frases?

(a) Se ele tiver morrido!
(b) Se ele tivesse morrido!

( ) voltando do veterinário com o gato enfaixado
( ) descendo no elevador para ver o que aconteceu com o gato.

ATIVIDADES

Projeto: **pesquisa sobre assunto livre, que o grupo (três pessoas) julgar ser do interesse da classe (preparo: três semanas.):**

- Resumo escrito: dados coletados e resultado da pesquisa.
- Apresentação oral: utilização de cartazes, quadros, vídeo etc.

Montar dramatização **da crônica "No restaurante" associada à situação 1. (Livro-Texto p. 214)**

Montagem de diálogos a partir de esquemas:

A	B
1) - descrever como o relacionamento entre você e seu pai anda meio abalado - descrever alguns pequenos atritos que vocês tiveram - dizer o que vai fazer, como vai agir quando tiver filhos	- fazer um comentário sobre o choque de gerações - dar razão aos pais ou dar razão aos filhos; justificar - descrever o seu comportamento com os pais
2) - fazer uma fofoca sobre a vida de alguém - contar uma mentira bem cabeluda - fazer um comentário maldoso - justificar o comentário	- reagir violentamente à fofoca que **A** contou - defender a pessoa atacada - destacar as qualidades da pessoa - dizer o que você pensa de pessoas como **A**
3) - dizer que teve um acidente e que a culpa foi do outro - descrever como aconteceu o acidente: a velocidade, a imprudência, etc. - pergunar o que B teria feito - ridicularizar a atitude machista de **B**	- comentar mal-humorado a maneira de **A** dirigir - dar sua opinião sobre mulheres no volante - contar vantagem sobre a superioridade masculina

Vamos Ouvir?

Você vai ter contato agora com um acontecimento que abalou o Brasil, através da reprodução de um noticiário de televisão, que dividimos em três segmentos. Depois de ouvir a primeira parte, que se refere às manchetes do noticiário, responda as perguntas:

1) O que aconteceu com os meninos de rua?

____

____

____

2) Quem os sobreviventes acusaram de ter praticado a chacina?

____

____

____

3) Onde ocorreu o massacre?

____

____

____

Agora ouça o 2º segmento, que descreve os acontecimentos daquela noite. Depois de ouvi-lo, faça um relato com suas próprias palavras.

____

____

____

____

____

____

____

O 3º Segmento comenta a repercussão do massacre dos meninos. Ouça com atenção e debata o tema com seus colegas e seu professor.

Sugestões para o debate:

1. Por que os grupos de extermínio executam as crianças?
2. Quais as origens do problema do menor abandonado?
3. Como esse problema poderia ser solucionado?
4. Em que outros países ocorre esse tipo de violência? Faça comentários sobre o assunto, destacando o trabalho das entidades de defesa dos direitos humanos.

JORNAL NACIONAL 23/07/93
REDE GLOBO DE TELEVISÃO

1º segmento: manchetes

Massacre no Rio. Um comando assassino ataca meninos de rua e deixa sete mortos.

Sobreviventes acusam: os matadores são soldados da polícia militar.

Meninos caçados escaparam de tiros à queima-roupa.

Nossos repórteres mostram como foi a chacina e as reações no Brasil e no exterior.

. . . .

2º segmento: descrição dos fatos

O jornal nacional está começando.

Um crime abala o Brasil e o mundo. Sete meninos de rua são assassinados friamente no centro do Rio. Dormiam em frente à igreja da Candelária quando foram atacados por um grupo de homens armados. Entre os mortos, o menor tinha onze anos de idade. O mais velho tinha apenas dezenove.

O Presidente Itamar Franco reagiu com uma frase: "Estou horrorizado com os assassinatos".

Os meninos que sobreviveram à chacina acusam soldados da polícia militar e um já está preso. Daqui a pouco você vai ver a cobertura completa do massacre da Candelária.

(outras notícias)

Um crime bárbaro choca o país e repercute no exterior. Sete meninos de rua do Rio são assassinados friamente no centro da cidade.

O massacre: Na praça em frente à igreja da Candelária, no centro do Rio, mais de quarenta crianças dormiam embaixo da marquise. Os matadores chegaram em dois carros: um táxi e um chevette branco. Os cinco homens saltaram e começaram a atirar. Duas crianças e um rapaz de dezenove anos foram mortos ainda dormindo. Os outros acordaram e tentaram fugir. Na perseguição mais duas crianças foram baleadas. Uma morreu no hospital. Outra criança foi assassinada na praça, em frente à igreja. E mais duas foram encontradas mortas no aterro do Flamengo.

A testemunha: (. . . . . .). Um menino estava dormindo em cima de uma banca de jornais quando foi acordado pelos tiros. Apavorado, ele viu os amigos sendo mortos sem poder fazer nada. Agora, esse garoto é a principal testemunha da chacina. Na delegacia, ele reconheceu entre os assassinos, dois policiais. Com as informações do menino, a polícia fez este retrato falado, confirmado por outros sete menores que estavam na Candelária. Agora há pouco o soldado da polícia militar José Marcelino Penha Júnior foi reconhecido através do retrato. O soldado José Marcelino já está preso. Dois outros policiais militares foram detidos agora à noite. São os soldados Marco Antônio Teixeira e Marco Antonio Pereira. Eles estavam juntos com o soldado Marcelino ontem à tarde quando um menino da Candelária foi preso e o carro da PM foi apedrejado pelos menores. Os dois vão ser levados para reconhecimento.

3º segmento: repercussão

A chacina dos meninos de rua provocou protestos no Brasil e no exterior. Entidades de proteção ao menor pedem a punição dos criminosos. O número de assassinatos de crianças cresce em todo o país. Só no Rio, dois menores são mortos por dia. (. . . . .) O crime da Candelária repercute imediatamente no exterior. A maior organização americana de defesa dos direitos humanos protestou contra mais um crime violento no Brasil. Desde hoje de manhã as agências internacionais reportaram o extermínio dos meninos na Candelária e no Museu de Arte Moderna no Rio e mencionaram os suspeitos de sempre: esquadrões da morte formados por soldados da polícia militar. Hoje, no serviço internacional da rede CNN, a correspondente no Rio, num boletim ao vivo, disse que as autoridades estão constrangidas porque o crime envolve a polícia militar. (. . . . . .) O presidente Itamar Franco determina uma investigação rigorosa para apurar a chacina dos menores no Rio. (. . . . . .) Um procurador federal — um promotor — está designado para acompanhar o caso. (. . . . . .) No Itamarati também existe preocupação, porque a causa freqüente de o Brasil ser notícia no mundo tem sido a violência.